**En bok från Astrid Lindgrens
barndomshem
gården Näs i Vimmerby**

Astrid Lindgren

Namnstämpel med ensamrätt för BOA

Oetinger

Astrid Lindgren
Weihnachten in Bullerbü

Bilder von Ilon Wikland

Verlag Friedrich Oetinger · Hamburg

Ich heiße Lisa und ich wohne in Bullerbü.

Hier in Bullerbü, wo wir wohnen, gibt es drei Höfe, den Nordhof, den Mittelhof und den Südhof.

Im Nordhof wohnen Britta und Inga und im Mittelhof wohnen Lasse, Bosse und ich und im Südhof wohnen Ole und seine kleine Schwester Kerstin.

So sieht es im Winter in Bullerbü aus:

Zu Weihnachten ist es ganz besonders schön hier in Bullerbü. Sogar die Spatzen haben es dann gut, denn wir stellen Weihnachtsgarben für sie auf. Und für die Dompfaffen natürlich auch und für alle anderen kleinen hungrigen Vögel.

Wir Kinder aus Bullerbü haben es Weihnachten auch gut, viel besser noch als die Spatzen. Und jetzt will ich erzählen, wie es letztes Weihnachten hier in Bullerbü war.

Drei Tage vor Weihnachten backten wir Pfefferkuchen. Dabei geht es fast so lustig und fröhlich zu wie am Weihnachtsabend. Das war ein Geruch von Pfefferkuchen in ganz Bullerbü an diesem Tag!

„Diese Art Geruch habe ich gern", sagte Lasse. Er backte neunzehn Pfefferkuchenschweine und ich backte vierzehn und Bosse elf. Aber wir machten auch Herzen und Sterne und andere Figuren.

Wenn es Weihnachten wird, müssen alle Kinder aus Bullerbü mithelfen. Einen ganzen Tag brachten wir damit zu, Feuerholz mit dem Holzschlitten hereinzuholen.

„Wir können doch nicht all dies Holz verbrennen", sagte Ole plötzlich. „Das ist doch schon viel zu viel."

Aber das sagte er nur, weil er keine Lust mehr hatte und nicht länger mitmachen wollte.

Da sagte Oles Mama: „Wir können hier keinen Faulpelz brauchen mitten in den Weihnachtsvorbereitungen. Jetzt müssen alle mithelfen."

Außer Kerstin natürlich. Sie saß hoch oben auf der Holzfuhre und lachte und war vergnügt. Sie ist ja noch so klein.

Am Tag vor dem Weihnachtsabend fuhren wir in den Wald und suchten uns Weihnachtsbäume aus. Vier Tannen brauchen wir in Bullerbü – denn jeder Hof soll einen Tannenbaum haben – und außerdem bekommt Großvater auch eine kleine Tanne. Mein Vater schlug drei Tannen, aber Lasse schlug Großvaters Tanne. Britta und Inga fuhren sie auf ihrem Schlitten nach Hause.

Als wir auf dem Heimweg waren, kam uns Oles Hund entgegen. Er bellte Ole an. „Das macht er nur, weil wir ihn nicht mit in den Wald genommen haben", sagte Ole.

Am Abend gingen wir von Hof zu Hof und sangen Weihnachtslieder vor den Fenstern.

„Alles ist so schön weihnachtlich, dass ich fast Bauchschmerzen bekomme", sagte Inga.

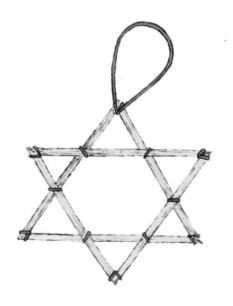

Großvater ist eigentlich nur Brittas und Ingas Großvater. Aber er gehört uns auch. „Wenn es nicht mehr Kinder sind, als es hier in Bullerbü gibt, dann reiche ich für alle", sagt Großvater.

Wir waren in seinem Zimmer und schmückten seine Tanne und Inga erzählte ihm, wie schön der Weihnachtsbaum geworden war. Denn Großvater kann kaum noch sehen.

„Aber ich kann mir genau vorstellen, wie der Baum aussieht", sagte er. „Außerdem kann ich ihn auch riechen."

„Kannst du auch riechen, wie rot die Äpfel sind?", fragte Inga.

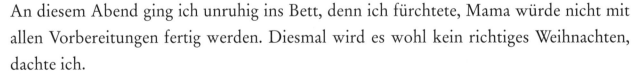

An diesem Abend ging ich unruhig ins Bett, denn ich fürchtete, Mama würde nicht mit allen Vorbereitungen fertig werden. Diesmal wird es wohl kein richtiges Weihnachten, dachte ich.

Aber als ich am nächsten Morgen aufwachte, war ich ganz überrascht. Oh, unten im Zimmer stand der Weihnachtsbaum fertig geschmückt und es brannte ein Feuer im Kamin und alles war so herrlich.

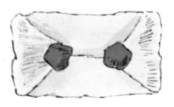

Der Heilige Abend ist wohl der längste Tag im ganzen Jahr, jedenfalls der Vormittag. „Diese Stunden, in denen man nur so herumsitzt und wartet und wartet, die sind es, von denen man grauhaarig wird", sagte Lasse.

Es schneite den ganzen Tag. Wir setzten uns Weihnachtsmannmützen auf und liefen mit kleinen Weihnachtsgeschenken hinüber zu Britta und Inga und zu Ole und Kerstin und guckten uns ihre Weihnachtsbäume an. Überall war es weihnachtsfein. Inga und Britta waren gerade dabei, ihre Weihnachtsgeschenke zu versiegeln, daher roch es im ganzen Haus nach Siegellack.

1925

Zu Weihnachten essen wir viel. Wir sitzen um den großen Küchentisch herum und essen und essen. Schinken und Wurst und Kompott und Stockfisch und Grütze und viele andere gute Dinge.

Nach dem Essen setzten wir uns ins Wohnzimmer und Papa las uns die Weihnachtsgeschichte vor und dann sangen wir: „O du fröhliche, o du selige Weihnachtszeit."

Plötzlich rief Lasse: „Oh, der Weihnachtsmann kommt!" Wir liefen ans Fenster und sahen hinaus. Und dort draußen in der Dunkelheit stand der Weihnachtsmann mit seinem Schlitten, voll beladen mit Weihnachtsgeschenken. Er trug eine Laterne in der Hand, damit er den Weg fand.

„Ich habe fast ein bisschen Angst", sagte Bosse.

„Ich nicht", sagte Lasse. „Wir bekommen doch Weihnachtsgeschenke. Weshalb soll man da Angst haben?"

Wir bekamen viele Weihnachtsgeschenke. Ich bekam mehr, als ich mir gewünscht hatte. Nachdem wir unsere Geschenke angesehen hatten, tanzten wir um den Weihnachtsbaum. Alle aus ganz Bullerbü kamen zu uns und tanzten mit uns um unseren Baum. Sogar Großvater kam, wenn er auch nicht tanzte. Er saß auf seinem Stuhl und sagte „hmhmjaja". Aber wir anderen tanzten und sangen umso mehr.

Wir knackten auch Nüsse und aßen Apfelsinen und Marzipan, bis wir müde wurden und ins Bett mussten.

Am nächsten Morgen standen wir früh auf und fuhren zur Christmesse. „Ratet, was ich gern mag", sagte Lasse. „Ich mag gern im Dunkeln Schlitten fahren und eine Fackel haben, die weit leuchtet."

„Ratet, was ich gern mag", sagte Bosse. „Ich mag gern Schlittengeläut und dann mag ich gern, wenn es nach Pferd riecht."

„Ratet, was ich gern mag", sagte ich. „Ich mag gern, wenn Weihnachten ist."

„Ja, natürlich", sagte Lasse. „Das mögen wohl alle Menschen gern."

Als wir von der Christmesse nach Hause kamen, nahmen wir Kinder von Bullerbü unsere Skier und Schlitten und fuhren und fuhren den ganzen Tag. Nur Ole blieb ganz allein auf dem Nordhof-See; er hatte nämlich Schlittschuhe zu Weihnachten bekommen.

Am Abend feierten wir bei Britta und Inga. Wir spielten Blindekuh und viele andere Spiele und wir waren ganz schrecklich lustig.

Kerstin saß auf dem Tisch. Sie fürchtete sich ein bisschen vor der blinden Kuh. Aber als sie Torte essen sollte, fürchtete sie sich gar nicht.

Oh, wie ist es schön, wenn Weihnachten ist! Ich wünschte nur, dass ein wenig öfter Weihnachten wäre.

© Verlag Friedrich Oetinger GmbH, Hamburg 1963
Alle Rechte für die deutschsprachige Ausgabe vorbehalten
© Saltkråkan AB/Astrid Lindgren 1963 (Text)/Ilon Wikland (Bild) 1963
Die schwedische Originalausgabe erschien bei
Rabén & Sjögren Bokförlag, Stockholm,
unter dem Titel »JUL I BULLERBYN«
Deutsch von Silke von Hacht
Satz: UMP Utesch Media Processing GmbH, Hamburg
Druck und Bindung: Proost N. V., Turnhout
Printed in Belgium 2008
ISBN 978-3-7891-6134-6

www.astrid-lindgren.de
www.oetinger.de